JOHANNES BRAHMS

EIN DEUTSCHES REQUIEM

GERMAN REQUIEM

für zwei Solostimmen
Chor und Orchester

Opus 45

Klavierauszug / Vocal Score

C. F. PETERS

FRANKFURT/M. · LEIPZIG · LONDON · NEW YORK

INHALT / CONTENTS

BESETZUNG / ORCHESTRATION

2 Flauti – Flauto piccolo – 2 Oboi – 2 Clarinetti
2 Fagotti – Contraffagotto ad lib.
4 Corni – 2 Trombe – 3 Tromboni – Tuba
Timpani – Arpa (2 Arpe)
Violino I/II – Viola – Violoncello – Contrabbasso
Organo ad lib.

Aufführungsmaterial leihweise und käuflich erhältlich
Orchestral material available for purchase or hire

Aufführungsdauer / Duration: ca. 70 Min.

Komponiert in den Jahren 1861, 1865/66 und 1868. Erstaufführung der vollständigen Fassung am 18. Februar 1869 unter Leitung von Carl Reinecke im Gewandhaus zu Leipzig.

Composed in 1861, 1865-6 and 1869; the complete version was premièred at the Leipzig Gewandhaus on 18 February 1869, conducted by Carl Reinecke.

Ein deutsches Requiem

I

4
32
sind, die da Leid, Leid tra - gen,
sind, die da Leid, Leid tra - gen,
sind, die da Leid, Leid tra - gen.
sind, die da Leid, Leid tra - gen,
Pos.
Ob.
39
denn sie sol - len ge - trö - - - stet, ge-tröstet
denn sie sol - len, sie sol - - - len ge - trö -
denn sie sol - len ge - trö - - - stet, ge-tröstet
denn sie sol - len ge - trö - - - stet, ge - trö - stet
Hörn.
44
B
wer - den.
- stet wer - den. Mit Trä - nen
wer - den. Die mit Trä - nen, die mit
wer - den. Die mit Trä - nen, die mit
Bläs.
p dolce
Velli
p espress.
(mit Harfe)
K.B.
Edition Peters
10115

Bursting forward with emotion
50
p cresc.
Die mit Trä - nen, mit Trä-nen
sä - en, die mit Trä - nen, die mit Trä - nen
Trä - nen, die mit Trä - nen, mit Trä - nen sä - en,
Trä - nen, die mit Trä - nen sä - en, mit Trä - nen sä -
cresc.
f
Brt.
Hob.
55
sä-en, wer - den mit Freu-den, mit Freu - den ern - ten, wer - den mit
sä-en, wer - den mit Freu-den, mit Freu - den ern - ten, mit
werden mit Freu - den ern - ten, wer-den mit Freu-den, mit Freuden
en, wer-den mit Freu - den ern - ten, wer-den mit Freu-den,
mf
cresc.
Pos.
Hr.
Vcll.
K.B.
59
Freu - den ern - ten.
Freu - den ern - ten.
ern - ten, mit Freu - den ern - ten.
mit Freuden ern - ten, mit Freu - den ern - ten.
dimin.
p
Str.

6
65
C
Steely
p espress.
Sie ge-hen hin und
p
Sie ge-hen hin und wei-nen,
espress.
sie
p
Sie ge-hen hin und wei-nen, und wei-nen,
espress.
sie
p
Sie ge-hen hin und wei-nen, und wei-nen,
espress.
sie
C
pp
Vclli.
legato
Brt.
Hörn.
72
wei-nen, und wei-nen,
ge-hen hin und wei-nen, wei-nen,
ge-hen hin und wei-nen, wei-nen,
ge-hen hin und wei-nen,
Fl.u.Hob.
p espress.
Pos.
Brt.
dimin.
Str.
78
D
p
und
p espress.
sie gehn und wei-nen
pp
sie ge-hen hin und wei-nen, hin und wei-nen
pp
sie ge-hen hin und wei-nen, hin und wei-nen
D
ppp
Str. p
Edition Peters
10115

84
cresc.
tra - gen, tra - gen ed - len Sa - men, ed - len Samen, und kom - men mit
und tragen, undtragen ed - len, ed - len Sa - - men,
und tragen, undtragen ed - len Sa - - - men, kommenmit Freu - den, mit
und tragen, undtragen ed - len, ed - len Sa - - men, und
Fl.u. Hob.
Hob.
Harfe
Hörn.
cresc.
89
Freu - den, kom - men mit Freu - den und brin - - gen ih - re
und kom - men mit Freu - den, kom - - men mit Freu - den und
Freu - den, und kom - men mit Freu - den, kom - men mit
kom - men mit Freu - den, mit Freu - den, und kom - men mit Freu - den,
Pos.
Vcll.
K.B.
92
Gar - - ben, ih - - re Gar - - ben.
brin - - - - - - - gen ih - re Gar - - ben.
Freu - - den und brin - gen ih - re Gar - -
kom - men mit Freu - - den und brin - gen ih - re Gar - -
dimin.
Str.

96
pp
Se - lig sind,
ben.
Brt.
Vcll.
103
E
se - lig sind,
p
se - lig, se - lig sind, die da Leid tra - gen,
glide
die da
Fl. u.Hob.
p espress.
Hr.
cresc.
Fag.
110
p espress.
se - lig sind, die da Leid tra - gen, denn sie
espress.
Leid tra - gen, se - lig sind, die da Leid tra - gen, denn sie
se - lig sind, die da Leid tra - gen, denn sie
p
Holzbl. Hörn. u.Str.
p cresc.

116
dolce
sol - len ge - trö-stet wer - - - - den, se - lig sind, se - lig
sol - len ge - trö - stet, ge - tröstet wer - den, se - lig sind, se - lig
sol - len ge - trö-stet, ge - tröstet wer - den, se - lig sind, se - lig
sol - len ge - trö-stet, ge - tröstet wer - den, se - lig sind, se - lig
Bläs.
123
sind, die da Leid tra - gen, denn sie
Hob.
Str.
p espress.
130
sol - len ge - trö - - - - - - stet, getröstet wer - - den,
sol - len ge - trö - - - - stet, ge - trö - - stetwer - den,
sol - len ge - trö - - - - - stet, getröstet wer - - den,
sol - len ge - trö - - - - - stet, ge - trö - stet wer - - den,
cresc.
Hörn.

136
getröstet wer - den,
ge - trö - stet wer-
ge - trö - stet
sie sol -
Fl. u. Hob.
dolce
Str.
cresc.
dim.
142
F
sie soll'n ge - trö-stet wer - den,
ge - trö-stet wer -
- den, ge - trö-stet wer - den,
wer - den, ge - trö-stet wer - den, ge - tröstet wer - den, ge -
- - len ge - trö-stet wer - den,
Bläs.
Brt.
Vcll.
Fl.u.Hob.
Hr.
cresc.
148
den, denn sie sol - - - - - - len ge - trö - stet
denn sie sol - - - - - - len ge - trö - stet
tröstet wer - den, denn sie sol - - len ge - trö - stet
ge - trö - stet, ge trö - stet, sie soll'n ge - trö - stet
dimin.
Harfe
Str.

153
pp
wer - den, ge-trö-stet wer - - - - - - den.
wer - den, ge-trö-stet wer - - - - - - den.
wer - den, ge - tröstet wer - - - - - - - - den.
wer - den, ge - tröstet wer - - - - - - - - den.
Holzbl.
Harfe
II
Langsam, marschmäßig
Holzbl. u. Str.
sempre legato
pp mezza voce
Fag. u. Bässe
Harfe
8
15
Pk.
pp

12
22
Sopran.
A
Alt.
p
Denn al - les Fleisch es ist wie Gras und al - le Herr - lich -
Tenor.
p
Denn al - les Fleisch es ist wie Gras und al - le Herr - lich -
Baß.
p
Denn al - les Fleisch es ist wie Gras und al - le Herr - lich -
Chor.
A
pp legato ma un poco marc.
29
p
Das Gras ist ver - dor-ret
keit des Men - schen wie des Gra - ses Blu-men. Das Gras ist ver - dor-ret
f
keit des Men - schen wie des Gra - ses Blu-men.
keit des Men - schen wie des Gra - ses Blu-men.
dolce
Holzbl.
p
36
und die Blu - me ab - ge - fal - len.
und die Blu - me ab - ge - fal - len.
und die Blu - me ab - ge - fal - len.
und die Blu - me ab - ge - fal - len.
Pk.
Str. pp
Hr.
Edition Peters
10115

43
B
sempre legato
marcato
poco a poco cresc.
48
mf
cresc.
sempre cresc.
54
f
Denn al - les Fleisch es ist wie Gras und al - le
Denn al - les Fleisch es ist wie Gras und al - le
Denn al - les Fleisch es ist wie Gras und al - le
Denn al - les Fleisch es ist wie Gras und al - le
Volles Orch.
ff
60
dimin.
p
Herr - lich-keit des Men - schen wie des Gra - ses Blumen.
Herr - lich-keit des Men - schen wie des Gra - ses Blumen. Das Gras ist ver-
Herr - lich-keit des Men - schen wie des Gra - ses Blumen. Das Gras ist ver-
Herr - lich-keit des Men - schen wie des Gra - ses Blumen.
dim.
pp
Hob. u. Viol.

67
p espr.
So
dorret und die Blu - me ab - ge - fal - - len.
dorret und die Blu - me ab - ge - fal - - len.
und die Blu - me ab - ge - fal - len.
8
3.
Pk.
75
C Etwas bewegter
seid nun ge - dul - dig, lie - ben Brü - der, bis auf die Zu - kunft des Herrn,
seid nun ge - dul - dig, lie - ben Brü - der, bis auf die Zukunft, die Zu - kunft des
So seid nun ge - dul - dig bis auf die Zu - kunft des
C Etwas bewegter.
Str. p dolce
Fl. u. Hob.
83
D p dolce
bis auf die Zu - kunft des Herrn. Sie-he ein
Herrn, bis auf die Zukunft, die Zukunft des Herrn.
Herrn, bis auf die Zukunftdes Herrn.
dolce espress.
Fag.
Hr.
D Viol.
p dolce

92
Ackermann war - - - - - tet auf die köst - li - che
p dolce
Sie-he ein Acker-mann war - tet auf die köst-li-che Frucht, die köst - li - che
p dolce
Sie-he er war - tet auf die köst-li-che Frucht, die köst - li - che
p dolce
Sie-he ein Acker-mann war - - tet auf die köst - - li - che
cresc.
Str.
Hr. K.B.
99
Frucht der Er - - - - de und ist ge-dul - - -
p dolce
Frucht, auf die köst-li-che Frucht der Er - - de und ist ge -
Frucht, auf die köst-li-che Frucht der Er - - de und ist ge-dul - - -
Frucht, auf die köst-li-che Frucht der Er - - de und
Hr.
Fl.
(m. Harfe)
p
Vcll.
107
- dig dar - ü - ber, bis er emp - fa - he den Mor-gen - re - - - - -
dul-dig dar - ü - ber, bis er emp - fa - he den Mor-gen - re - - - - -
- dig dar - ü - ber, bis er emp - fa - he den Mor-gen - re - - - - -
ist ge - dul-dig dar - ü - - ber, bis er emp - fa - -
sempre pp
(Str. pizz.)
Bläs.
pp

114
pp
gen und A-bend-re - - gen. So seid ge-
gen und A-bend-re - - gen. So seid ge-
gen und A-bend-re - - gen. So seid ge-
he den A-bend-re - - gen. So seid ge-
121
E
Tempo I
dul - - dig.
dul - - dig.
dul - - dig.
dul - - dig.
Tempo I
E
p Hörn.
mezza voce V. Orch.
pp
130
138
Pk.
3
pp

17
146
Alt.
Tenor.
Baß.
F
Denn al - les Fleisch es ist wie Gras und al - le Herr - lich-
pp legato ma un poco marcato
153
Das Gras ist ver - dor-ret
keit des Men - schen wie des Gra - ses Blu-men. Das Gras ist ver - dor-ret
keit des Men - schen wie des Gra - ses Blu - men.
Holzbl.
dolce
160
und die Blu - me ab - ge - fal - - - len.
Pk.
Str.
Hr. marc.
Edition Peters
10115

167
G
sempre legato
marc.
poco a poco cresc.
172
mf
cresc.
sempre cresc.
178
f
Denn al - les Fleisch es ist wie Gras und
V. Orch.
ff
183
dim.
al - le Herr - lich - keit des Men - schen wie des Gra - ses
p

189
19
Blu-men.
Blu-men. Das Gras ist ver - dor-ret und die Blu - me ab - ge -
Blu-men. Das Gras ist ver - dor-ret und die Blu - me ab - ge -
Blu-men. und die Blu - me
Hob. u. Viol.
pp
Pk.
195
H
Un poco sostenuto
A - ber des Herrn Wort blei-bet,
fal - len. A - ber des Herrn Wort blei-bet,
fal - len. A - ber des Herrn Wort blei-bet,
ab - ge - fal - len. A - ber des Herrn Wort blei-bet,
Un poco sostenuto
Fl. Hob.
Pos.
Str.
202
blei - bet in E -
blei - bet in E -
blei - bet in E -
blei - bet in E - wig - keit, in E - wig -
Fl. Hob. u. Trp.
marcato
Edition Peters
10115

20
206
Allegro non troppo
-wig-keit.
-wig-keit.
-wig-keit.
keit. Die Er-lö-se-ten des Herrn wer-den wie-der kom-men, und gen Zi-on, und gen Zi-on
Allegro non troppo
Str.
212
Die Er-lö-se-ten des Herrn wer-den wie-der kom-men, und gen Zi-on,
Die Er-lö-se-ten des Herrn wer-den wie-der kom-men, und gen Zi-on
Die Er-lö-se-ten des Herrn wer-den wie-der kom-men, und gen Zi-on
kom-men mit Jauchzen, die Er-lö-se-ten des Herrn werden wie-der kom-men,
(mit Hob. u. Klar.)
217
I
und gen Zi-on kommen mit Jauchzen; Freu-de, Freu-de, Freu-de, Freu-de,
kom-men mit Jauch-zen; Freu-de, Freu-de, Freu-de, Freu-de,
kom-men mit Jauch-zen; e-wi-ge Freu-de, e-wi-ge Freu-de,
und gen Zi-on kommen mit Jauchzen; Freu-de, Freu-de, Freu-de, Freu-de,
I
(m. Trp. Hörn. u. Pos.)
cresc.
Edition Peters
10115

223
e - wi - ge Freu - de wird ü - ber ih - rem
Holz-bl.
229
Haup - te sein;
K
Freu - de und Won - ne
Freu - de und
Str.
p cresc.
Hörn.
235
wer-den sie er grei - fen,
Won - ne,
und Schmerz und Seuf-zen
Bläs.
p cresc.
Vcll. u.K.B.

242
wird weg, wird weg müs - sen:
wird weg, wird weg müs-sen; Freu - de und Won - -
wird weg, wird weg müs-sen; Freu - de und Won - ne
wird weg, wird weg müs-sen; Freu - - - de und
Str.
Hörn.
247
wer -
ne, Won - ne wer - - den sie er - grei - fen,
wer-den sie er - grei - - fen, wer - - den sie er -
Won - - ne wer-den sie er - grei - - - fen, wer -
(m.Pos.)
Fag.
252
- den sie er - grei-fen, und Schmerz, und
sie er - grei-fen, und Schmerz, und
grei - fen, er - grei-fen, und Schmerz, und
- den sie er - grei-fen, und Schmerz, und
Str.
Pos.
Bässe

259
L
cresc.
f
Seuf - - zen wird weg, wird
Seuf - - zen wird weg, wird weg, wird weg, wird
Seuf - zen wird weg, wird weg, wird weg, wird
Seuf - zen wird weg, wird
marcato molto
Klar.
Fl.
Hob.
Hörn.
p
265
weg müs - sen, weg müs - sen. Die Er - lö - se - ten des
weg müs - sen, weg müs - sen. Die Er -
weg müs - sen, weg müs - sen. Die Er - lö - se - ten
weg müs - sen, weg müs - sen.
ff
Hrn.
271
Herrn, die Er - lö - se - ten des Herrn wer - den
lö - se - ten des Herrn, die Er - lö - se - ten des Herrn wer - den
des Herrn, die Er - lö - se - ten des Herrn wer - den
Die Er - lö - se - ten des Herrn, die Er - lö - se - ten des Herrn wer - den
Pos.
Bässe
V. Orch.

Practice
276
wie-der kom-men, und gen Zi-on, und gen Zi-on kom-men mit Jauch-zen,
wie-der kom-men, und gen Zi-on, und gen Zi-on kom-men mit Jauch-zen,
wie-der kom-men, und gen Zi-on, und gen Zi-on kom-men mit Jauch-zen,
wie-der kom-men, und gen Zi-on, und gen Zi-on kom-men mit Jauch-zen,
280
kom-men mit Jauch-zen, kom-men mit Jauch-zen, mit Jauch-zen,
kom-men mit Jauch-zen, und gen Zi-on kom-men mit Jauch-zen,
kom-men mit Jauch-zen, und gen Zi-on, und gen Zi-on kom-men,
kom-men mit Jauch-zen, und gen Zi-on, und gen Zi-on kom-men, kom-
f
284
kom-men, kom-men, kom-men, kom-men, kom-
kom-men, kom-men, kom-men, kom-men, kom-men,
kom-men, kom-men, kom-men, kom-men, kom-men, und gen Zi-on
-men mit Jauch-zen, mit Jauch-zen, mit Jauch-zen, mit Jauch-zen kom-men, gen Zi-on
f
ff

289
M
men mit Jauch - zen; Freu - de,
kom-men mit Jauch - zen; e - wi - ge Freu - de,
kom-men mit Jauch - zen; Freu - de, Freu - de,
kom - men mit Jauch-zen; Freu - de, Freu - de,
M
293
Freu - de, Freu - de, Freu - de, Freu -
e - wi - ge Freu - de, e - wi - ge Freu -
Freu - de, Freu - de, e - wi - ge Freu -
Freu - de, Freu - de, e - wi - ge Freu -
marc.
297
de wird ü - ber ih - rem Haup - te
de wird ü - ber ih - rem Haup - te
de wird ü - ber ih - rem Haup - te
de wird ü - ber ih - rem Haup - te
Fl.

303
N Tranquillo
sein;
sein;
sein;
sein;
e - - wi-ge Freu - de,
N Tranquillo
Hr.u.Trp. in Okt.
Klar.
molto p
Vcll. u.Pk.
Fag.
308
e -
e - - wi-ge Freu - de,
Hob.
Hörn.
Klar.
314
e - - wi-ge Freu - de,
- wi-ge Freu - de,
e - wi-ge
e - wi-ge
dolce
e - - wi-ge Freu - de,
Viol.
Hob.
Str.

27
320
O
cresc. sempre
e - wi - ge Freu - de, e - wi - ge Freu - de wird
Freu - de, e - wi - ge Freu - de, e - - wi - ge Freu -
Freu - de, e - wi - ge Freu - de, e - - wi - ge Freu -
e - wi - ge Freu - de, e - wi - ge, e - - wi - ge Freu -
Kl. u. Fag.
Hob. u. Hr.
p cresc. sempre
Vcll.
326
slows down!
ü - ber ih - rem Haup -
de wird ü - ber ih - rem Haup -
de wird ü - ber ih - rem Haup -
de wird ü - ber ih - rem Haup -
f
Fl. Hr. u. Trp.
Brt.
Str.
Viol.
Pos.
332
p dim.
te sein, e - wi - ge Freu - de.
te sein, e - wi - ge Freu - de.
te sein, e - wi - ge Freu - de.
te sein, e - wi - ge Freu - de.
Holzbl.
fp molto dim.
ppp
Edition Peters
10115

III

Andante moderato
Bariton Solo
Herr, lehre doch mich, daß ein Ende mit mir haben muß, und mein Leben ein Ziel hat, und ich davon muß, und ich davon muß.
Hörn.
p
trem.
Pk. u. K.B.
Brt. u. Vcll.
Viol.
pp
6
11
17
A
Chor
Sopran.
Alt.
Tenor.
Baß.
Herr, Herr, lehre doch mich, daß ein Ende mit mir
Vcll. u.K.B. pizz.

23
ha - ben muß, und mein Le - ben ein Ziel hat, und ich da - von muß,
stacc.
30
Bariton Solo B
Sie-he, mei-ne Ta - ge sind einer Handbreit vor
p
und ich da - von muß.
B
Holzbl. u. Hörn.
pp legato
39
dir, und mein Le - ben ist wie nichts vor
Viol.
sf
V. Orch. m. Pos.
Bl.
pp
dim.

48
dir
Sie - he, mei-ne Ta - ge sind ei-ner Hand breit
Sie - he, mei - ne Ta - ge sind ei - ner Hand breit
Sie - he, mei - ne Ta - ge sind ei - ner Hand breit
Sie - he, mei - ne Ta - ge sind ei - ner Hand breit
cresc.
Str.
53
vor dir,
und mein
p cresc.
v. Orch.
58
Le - ben, mein Le - ben ist
wie
Str.

64
C Bariton Solo
Herr, leh - re doch mich, daß ein En -
nichts vor dir.
nichts vor dir.
nichts vor dir.
nichts vor dir.
C
pp
Pk. trem.
71
- de mit mir ha - ben muß, und mein Le - ben ein Ziel hat, und ich da -
78
von muß, und ich da - von muß, und ich da -
pp
und ich da - von muß,
pp
und ich da - von muß,
pp
und ich da - von muß,
pp
und ich da - von muß,
f
p
pp

85
von muß, und ich da - von muß, da - von
ich da - von muß, da - von
ich da - von muß, da - von
ich da - von muß, da - von
ich da - von muß, da - von
f p pp dim.
92
muß.
muß.
muß.
muß.
muß.
Viol.
ff V. Orch.
rf
mf
Kl.
Fag.
98
dimin.
pp
1

Bariton Solo
105
Ach, wie gar nichts sind al-le Men-schen,
Holzbl. u. Hörn.
p espress.
109
die doch so si-cher le - - - - - - - -
p
Bässe
114
ben.
p
Viol.
dim.
118
D
Sie ge-hen da-her wie ein Sche - - - men, und machen ih-
Fl. u. Hob.
Hörn.
Pos.
pp
pp sempre
Kl.
Fag.
Bässe
123
- - nen viel ver-geb - li-che Un-ru-he; sie sam-meln und wis-sen
cresc.
Fl. u. Hob.
Hörn.
Pos.
cresc.
Fag.
Bässe

127
E
nicht wer es krie-gen wird.
Ach, wie gar nichts sind alle
Ach, wie gar nichts sind al-le
Ach, wie gar nichts sind al - le
Ach, wie gar nichts sind al - le
Str.
Fl.
Hob.
Holzbl. u. Str.
132
Men - schen, die doch so si - cher le - - - -
Men - schen, die doch so si - cher, die doch so
Men - schen, die doch so si - cher, die doch so
Men - schen, die doch so si - cher, so si - - - -
136
- - - - - - - ben.
si - cher, so si-cher le - - - ben.
si - cher, so si-cher le - - - ben.
- cher le - - ben.

141
Bariton Solo
Nun Herr, wes soll ich mich
Fl.
Hr.
Str.
pp
6
Pos.
144
F
trö - sten?
p molto cresc.
Nun Herr, nun Herr, wes soll ich mich
f
Nun Herr,
mf molto cresc.
Nun Herr, wes soll ich mich trö - sten, mich
Str.
146
trö - sten, mich trö - sten? Nun Herr,
nun Herr, wes soll ich mich trö - sten, mich trö - sten?
nun Herr, wes soll ich mich trö - sten, mich
trö - sten? Nun Herr, nun Herr, wes soll ich mich

149
nun Herr, nun Herr, wes soll ich mich
Nun Herr,
trö - - sten? Nun Herr, wes soll
trö - - - - - sten? Nun Herr,
Fl. u. Kl.
f Pos. Str.
151
trö - - - sten? Nun Herr, wes soll
nun Herr,
ich mich trö - - - - sten? Nun Herr, wes soll ich mich
wes soll ich mich trö - sten?
Hob.
153
ich mich trö - - sten? Nun Herr, nun Herr,
wes soll ich mich trö-sten? Nun Herr, nun Herr,
trö - - sten? Nun Herr, nun Herr
Nun Herr, nun
Holzbl.

156
wes soll ich mich trö - sten?
wes soll ich mich trö - sten?
nun Herr, wes soll ich mich trö - sten?
Herr, nun Herr, wes soll ich mich trö - sten?
ff V. Orch.
Holzbl. u. Hörn.
159
wes soll ich mich trö - sten?
wes soll ich mich trö - sten?
wes soll ich mich trö - sten?
wes soll ich mich trö - sten?
p dim.
162
Ich hof - fe auf
Ich hof - fe, ich
Ich hof - fe auf
Ich hof - fe, ich
cre - scen -
Hörn.
Pos.
pp
p Pos.
sempre cresc.
Bässe

167
- do molto
dich, auf dich, ich hof - - fe, ich
do molto
hof - - fe auf dich, ich
- do molto
dich, ich hof - - fe auf dich, ich
- do molto
hof - - fe, ich hof - - fe, ich hof - - fe auf
f sempre
170
hof - fe auf dich, ich hof - fe auf dich.
hof - fe, ich hof - fe auf dich.
hof - - fe, ich hof - fe auf dich. Der Ge - rech - ten See - len
dich, ich hof - fe, hof - fe auf dich.
Hörn. u. Trp.
Viol. u. Hob.
Brt. u. Fag.
Pos. Tuba Bässe
tenuto per il Pedale
174
Der Ge -
sind in Got - tes Hand und kei - ne Qual rüh - ret sie an, kei - ne
Kl.
Vcll.

176
39
rech - ten See - len sind in Got - tes Hand und kei - ne Qual rüh - ret sie
Qual, kei - ne Qual rüh - - - - - ret sie an, der Ge -
178
f
Der Ge - rech - ten See - len sind in Got - tes Hand und kei - ne
an, kei - ne Qual, kei - ne Qual rüh - - - - - ret sie
rech - ten See - len sind in Got - tes, Got - tes Hand und kei - - ne
Fl. Hob. u. Viol. in Okt.
180
Qual rüh - ret sie an, kei - ne Qual, kei - ne Qual rüh -
an, rüh - ret sie an, der Ge - rech - ten See - len sind in Got - tes
Qual rüh - ret sie an, der Ge - rech - ten See - len sind in
f
Der Ge - rech - ten See - len sind in Got - tes
Vcll. u. Fag.
Edition Peters
10115

40
182
G
- - - ret sie an, der Ge - rech - ten See - len
Hand und kei - ne Qual rüh - ret sie an, der Ge -
Got - - - tes Hand, sind in Got - tes Hand, der Ge-rech - ten
Hand und kei - ne Qual rüh - ret sie an, und kei - ne Qual rüh - ret sie
G
184
sind in Got - tes Hand und kei - ne Qual
rechten See-len sind in Got - tes Hand und kei - ne Qual, und kei-ne Qual rüh -
See-len sind in Got - tes Hand und kei - ne Qual, und kei - ne
an, der Ge - rech - ten See-len sind in Got-tes Hand und kei - ne
187
cresc.
rüh - ret sie an, kei - ne Qual, kei - ne Qual rüh -
ret sie an, der Ge - rech - ten See - len sind in Got - tes
Qual rüh - ret sie an, der Ge - rech - ten See - len
Qual rüh - ret sie an, der Ge - rech - ten See - len
Edition Peters
10115

189
- ret sie an, und kei - ne Qual rüh-ret sie an, der Ge-rech-ten See-len
Hand und kei - ne Qual rüh-ret sie an,
sind in Got - tes Hand und kei-ne Qual, kei - ne Qual rüh - ret sie an, der Ge -
sind in Got-tes Hand, kei - ne Qual rüh-ret sie an, der Ge -
192
sind in Got - tes Hand und kei - ne Qual rüh - ret sie an, der Ge -
kei - ne Qual rüh-ret sie an, kei - ne,
rech - ten See - len sind in Got - tes Hand, der Ge - rech - ten See - len
rech - ten See - len sind in Got-tes Hand, der Ge -
194
rech - ten See - len sind in Got - tes Hand und kei - ne Qual
kei - ne Qual, und kei - ne Qual, und kei - ne Qual rüh -
sind in Got - tes Hand, und kei - ne Qual, kei - ne Qual, kei - ne
rech - ten See - len sind in Got - tes Hand,

196
H
rüh - ret sie an,
ret sie an,
Qual rüh - ret sie an, der Ge - rech - ten See - len sind in Got - tes
der Ge - rech - ten See - len sind in Got - tes Hand und kei - ne
H
198
der Ge - rech - ten See - len sind in Got - tes
der Ge - rech - ten See - len sind in Got - tes Hand und kei - ne
Hand und kei - ne Qual rüh - ret sie an, der Ge - rech - ten
Qual, und kei - ne Qual rüh - ret sie an, und
200
Hand und kei - ne Qual rüh - ret sie an, rüh - ret sie
Qual rüh - ret sie an, und kei - ne Qual, kei - ne Qual rüh - ret sie
See - len sind in Got - tes Hand, kei - ne Qual, kei - ne
kei - ne Qual rüh - ret sie an, rüh - ret, rüh - ret sie

202
an, und kei - - ne Qual, und kei - - - - -
an, und
Qual,
an, und kei - - ne Qual, und kei - ne Qual rüh -
204
- ne Qual, und kei - ne Qual, kei - ne Qual, kei - ne
kei - ne Qual, und kei - - ne Qual, kei - ne
und kei - ne Qual, kei - ne Qual, kei - ne
ret sie an, kei - ne Qual, kei - ne Qual, kei - ne
206
Qual, kei - ne Qual rüh - - ret sie an.
Qual, kei - ne Qual, kei - ne Qual rüh - ret sie an.
Qual, kei - ne Qual, kei - ne Qual, kei - ne Qual rührt sie an.
Qual, kei - ne Qual rüh - ret sie an, rüh - ret, rüh - ret sie an.
f

IV
Mäßig bewegt
Sopran
Alt.
Tenor.
Baß.
Chor
Wie lieb - lich sind dei - ne Woh - nun - gen, Herr Ze - ba - oth, Herr Ze - ba - oth, dei - ne Woh - nun -
Wie lieb - lich dei - ne Woh - nun - gen, Herr Ze - ba - oth, Herr Ze - ba - oth, dei - ne Woh - nun -
Mäßig bewegt.
Fl. u. Kl.
p dolce
Viol.
Kl.
Fl.
Hob.
Hr.

18
gen, Herr Ze - - - - - ba -
gen, Herr Ze - - - - - ba -
gen, Herr Ze - - - - - ba - - -
gen, Herr Ze - ba - oth, Herr Ze - - ba - - -
Viol.
23
A
oth!
oth!
p espress.
oth! Wie lieb - - - - lich sind dei - ne Woh - nun-
oth!
A
p espress.
con Ped.
30
p espress.
Wie lieb - - - -
p espress.
Wie lieb - - lich
gen, Herr Ze - - - ba oth! Wie
p espress.
Wie lieb - - - - - - - lich

37
lich sind dei - ne Woh - nun - gen, Herr Ze -
sind dei - ne Woh - nun - gen, Herr Ze -
lieb - lich sind dei - ne Woh - nun - gen, Herr
sind dei - ne Woh - nun - gen, Herr Ze -
42
ba - oth! Mei - ne See -
ba - oth! Mei - ne See -
Ze - ba - oth! Mei - ne See -
ba - oth! Mei - ne See -
p
Holzbl.
48
cresc.
le ver -
cresc.
le ver - lan - get und
cresc.
le ver - lan - get und seh - net, ver - lan -
cresc.
le ver - lan - get und seh - net, ver - lan - get und seh - net, ver - lan -
cresc.

54
lan - get und seh - net, und seh - net sich nach den
seh - net, ver - lan - get und seh - - net sich nach den
get und seh - - - - net sich nach den
get und seh - net, seh - net sich nach den
Fl. u. Kl.
60
Vor - hö - fen des Herrn; mein
Vor - hö - fen des Herrn; mein
Vor - hö - fen des Herrn; mein
Vor - hö - fen des Herrn; mein
Hob.
66
B
Leib und See - le freu - en sich in dem le - ben - - -
Leib und See - le freu - en sich in dem le - ben - di - gen
Leib und See - le freu - en sich in dem le - ben - di - gen
Leib und See - le freu - en sich in dem le - ben - di - gen
B Str.

72
cresc.
- - di - gen Gott, freu - en sich
Gott, mein Leib und See - le freu - en sich
Gott, mein Leib und See - le freu - en sich
Gott, mein Leib und See - le freu - en sich
78
in dem le - ben - - - - - - - di - gen
in dem le - ben - di - gen, in dem le - ben - - - - - di - gen
in dem le - ben - - - di - gen, in dem le - ben - - di - gen
in dem le - ben - - - - di - gen, in dem le - ben - di - gen
84
Gott.
Wie
Viol.
Fl.
Kl.
Hr.

90
lieb - lich sind dei - ne Woh - nun - gen, Herr Ze - ba -
lieb - lich sind dei - ne Woh - nun - gen, Herr Ze - ba -
lieb - lich sind dei - ne Woh - nun - gen, Herr Ze - ba -
lieb - lich sind dei - ne Woh - nun - gen, Herr Ze - ba -
Kl.
Viol.
96
oth, Herr Ze - ba - oth, dei - ne
oth, Herr Ze - ba - oth, dei - ne
oth, Herr Ze - ba - oth, dei - ne
oth, Herr Ze - ba - oth, dei - ne
Fl.
Hob.
p
Hr.
102
Woh - nun - gen, Herr Ze - ba -
Woh - nun - gen, Herr Ze - ba -
Woh - nun - gen, Herr Ze - ba -
Woh - nun - gen, Herr Ze - ba - oth, Herr Ze - ba -
Kl.
Viol.

108
oth!
Wohl de
p legato espress.
con Ped.
113
nen,
wohl de - nen, die
C
119
in dei - nem Hau - se woh - nen, die
cresc.
f

124
lo - ben dich im - mer - dar,
die lo - ben dich im - mer - dar, im - mer - dar, im - mer,
die lo - ben dich im - mer - dar, lo - ben dich, lo - ben
die lo - ben dich im - mer - dar, die lo - ben, die lo - ben, die
130
die lo - ben dich, die lo - ben dich im - mer -
im - mer - dar, im - mer - dar, die lo - ben dich im - mer - dar,
dich im - mer - dar, die lo - ben dich im - mer - dar,
lo - ben, die lo - ben dich, die lo - ben dich im - mer -
136
dar, im - mer - dar, die
die lo - ben dich im - mer -
die lo - ben dich im - mer - dar, die lo - ben dich im - mer -
dar, im - mer - dar, die lo - ben dich im - mer - dar,

141
loben, die lo - ben, die lo - ben, die
dar, die lo - ben, die lo - ben, die lo - ben,
dar, die lo - ben, die lo - ben, die lo - ben, die lo - ben,
die lo - ben, die lo - ben, die lo -
147
lo - ben dich im - mer
lo - ben dich im - mer
die lo - ben dich im - mer
ben, die lo - ben dich im - mer
p dimin.
pp Str. pizz.
Fl.
Hob.
p espress.
153
D
dar! Wie lieb - lich, wie lieb - lich,
dar! Wie
dar! Wie lieb - lich, wie lieb - lich,
dar! Wie
p dolce
Viol.
espress.
p
Edition Peters
10115

dancing
159
wie
lieb - - lich, wie lieb - - lich, wie lieb - - lich, wie
wie
lieb - - lich, wie lieb - - lich, wie lieb - - lich, wie
Fl.
Hob.
cresc.
Holzbl.
165
lieb - - lich sind dei - ne
lieb - - lich, wie lieb - lich sind dei - ne
cresc.
legato
Str.
171
Woh - - nun - gen!
dim.
Kl.
Hob.

Langsam
Sopran Solo
Ihr
Str. con sord.
p dolce
dim.
Hob.
Fl. u. Klar.
habt nun Trau - - - rig - keit, Trau-rig-keit,
Fl.
Klar.
Trau-rig-keit, ihr habt nun Trau-rig-keit; a - - ber, a -
A
Str.
pp
Hr.
Fl.
Kl.
p
Brt.
Vcell.
Fag.
Str.
- ber ich will euch wieder se-hen und eu-er Herz soll sich freu-en, und
Sopran.
Alt.
Tenor.
Baß.
Chor
p m.v.
Ich will euch
espress.
Viol.
p
Fl.
Kl.
Fag.

20
eu - re Freu - de soll nie - mand, nie - mand von euch neh - - men.
trö - sten, wie ei - nen sei - ne Mut - - - ter trö - - - - stet, wie
trö - sten, wie ei - nen sei - ne Mut - ter trö - - - - - stet, wie
trö - sten, wie ei - nen sei - ne Mut - - ter trö - stet, wie
trö - sten, wie ei - nen sei - ne Mut - ter trö - stet, wie
pp
Str.
poco cresc.
Hob.
Fl.
Vcell.
K. B.
Fag.
24
B
Se - het mich an: ich habe ei - ne klei - ne Zeit
ei - nen seine Mutter trö - - stet.
ei - nen seine Mutter trö - - stet.
ei - nen seine Mutter trö - - stet.
ei - nen seine Mutter trö - - stet.
pp
ppp
p Holzbl.
p dolce
Bläs.

30
Mü - he und Ar - beit ge - habt und ha-be gro - - - - - - ßen
cresc.
mf
34
Trost fun - - den;
p espress.
Ich will euch trö - - sten.
p espress.
Ich will euch trö - - sten.
p espress.
Ich will euch trö - sten, euch trö - - sten.
p espress.
Ich will euch trö - sten, euch trö - - sten.
p
37
C
ich ha-be ei-ne klei - ne Zeit Mü - he und Ar - beit ge-
pp
Kl.
Fag.
Str.
Hr.

41
habt und ha-be gro-ßen, und ha-be gro - - - - - ßen, gro-ßen
p espr.
Ich
p espr.
Ich
p espress.
Ich will euch trö - sten,
p espress.
Ich will euch trö - sten,
3
poco cresc.
p
Kl.
45
Trost fun - den.
D
will euch trö - - - sten, trö - sten, trö - - - - - sten.
dimin.
will euch trö - - sten, trö - sten, trö - - - - - sten.
dimin.
euch trö - - sten, trö - sten, trö - - - - - sten.
dimin.
euch trö - - sten, trö - sten, trö - - - - - sten.
dimin.
Fl. u. Str.
p dimin.
D
Hob.
pp
Vcell.

50
Ihr habt nun Trau - - - rig -
Kl.
Fag.
Fl.
Fl.
Kl.
55
keit, ihr habt nun Trau - - rig - keit, Trau -
Str.
pp
Hr.
dimin.
59
- - rig - keit, a - ber, a - ber ich will euch
E
p espress.
Ich
E
Fl.
u.
Kl.
p
Brt.
Vcell.
Fag.
Str.
Fag.
Str.
Viol.
p espress.

63
wie-der se-hen, und eu-er Herz soll sich freu-en, und eu-re Freu-de, und eu-
p espress.
Ich will euch trö-sten, wie
p espress.
Ich will euch trö-sten, wie
will euch trö-sten, ich will euch trö-sten, wie
p espress.
Ich will euch trö-sten, wie
67
-re Freu-de soll nie-mand von euch neh-men, von
pp
ei-nen sei-ne Mut-ter trö-stet, wie ei-nen sei-ne Mut-ter
pp
ei-nen sei-ne Mut-ter trö-stet, wie ei-nen sei-ne Mut-ter
pp
ei-nen sei-ne Mut-ter trö-stet, wie ei-nen sei-ne Mut-ter
pp
ei-nen sei-ne Mut-ter trö-stet, wie ei-nen sei-ne Mut-ter
Hob.
Bläs.
Str. pp

71
F
espress.
euch neh - men, ich will euch
p cresc.
trö - - - stet, ich will euch trö-sten, ich will euch trö - sten, ich
trö - - - stet, ich will euch trö-sten, ich will euch trö - sten, ich
trö - stet, ich will euch trö - sten, ich will euch trö - sten, ich will euch
trö - stet, ich will euch trö - sten, ich will euch trö - sten, ich will euch
Holzbl.
Hob.
dolce
poco cresc.
76
dimin.
wie - der se - hen, wie - der se - hen, wie - der se - hen! [⌽]
will, will euch trö - sten, will euch trö - - sten!
will, will euch trö - sten, will euch trö - - sten!
trö-sten, will euch trö - sten, will euch trö - - sten!
trö-sten, will euch trö - sten!
pp
Str.
Hörn.
dim.
Fl.
Kl.
perdendo

VI

Andante
Sopran
Alt.
Tenor.
Baß.
Chor
p
Denn wir ha-ben hie kei - - ne blei-ben-de
Andante.
Bl.
sotto voce
Str.
p
Str. con sord.
(pizz.)
7
Statt, son - - dern die zu-künf - ti-ge su - - -
Statt, son - - dern die zu-künf - ti-ge su - - - chen,
Statt, son - - dern die zu-künf - ti-ge su - - - chen
pp
14
chen wir,
denn wir ha-ben hie kei -
su - - - chen wir,
wir, su - - chen wir,
Holz-bläs.
f
mf
p
Hörn. u. Str.

20
A
Bariton Solo
Siehe, ich
p
dimin.
denn wir haben hie keine blei - - bende Statt.
ne, kei - ne blei - ben-de Statt, wir haben hie keine blei-bende Statt, keine blei - - bende Statt.
denn wir haben hie kei - ne, kei - ne blei-bende, kei - ne blei - bende Statt.
denn wir haben hie keine blei-bende, blei - bende Statt.
Kl.
Hob.
Fl.
Hr.
Fag.
pp
Str.
Pk.
29
sa-ge euch ein Ge - heim - - - - nis.
Wir wer - den nicht
Holzbl.
Brt.
Vcll.
35
al - le ent - schla - - - - - - - - - - -
Hob. u. Klar.
Viol.

harder consonants.
40
fen,
wir wer - den
pp
Wir wer - den nicht al - le ent - schla - - fen,
pp
Wir wer - den nicht al - le ent - schla - - fen,
pp
Wir wer - den nicht al - le ent - schla - - fen,
pp
Wir wer - den nicht al - le ent - schla - - fen,
Holzbl.
pp
Str.
Brt.
47
a - - - ber al - - le, al - - le ver -
50
wan - - delt, ver - wan - delt wer - -
pp
wir
pp
wir
pp
wir
pp
wir
Hob.
Klar.
p
14

54
B
den,
wer - den a - ber al - - - le ver - wan - -
B
pp Str.
Holzbl.
pp
59
und das - sel - bi - ge
delt wer - - - - den;
Viol.
p
64
plötz - lich in ei - nem Augenblick zu der Zeit der
C accel. e
Fl.
cresc.
f
Pos. u. Tuba
fp
accel. e

69
cresc. poco a poco
letzten Po-sau-ne. [67]
zu der Zeit der letz-ten Po - sau - ne, der letz - ten Po - sau - -
cresc.
ff
zu der Zeit der letz-ten Po - sau - ne, der letz - ten Po - sau - -
zu der Zeit der letzten der letz - ten Po - sau - -
f cresc.
zu der Zeit der letz - ten Po - sau - -
Viol.
V. Orch.
Pk.
Str.
77
- - - ne.
82
Vivace
Denn es wird die Po - sau - ne schal - -
ff V. Orch.
sf

86
len und die To - - ten wer - - den
len und die To - - ten wer - - den
len und die To - - ten wer - - den
len und die To - - ten wer - - den
sf
sf
90
auf - - er - ste - - hen un-ver-
auf - - er - ste - - hen un-ver-
auf - - er - ste - - hen un-ver-
auf - - er - ste - - hen un-ver-
94
wes - - lich, un-ver - wes -
wes - - lich, un-ver - wes -
wes - - lich, un-ver - wes -
wes - - lich, un-ver - wes -

98
D
lich, und wir werden ver - wan - delt wer - - den.
lich, und wir werden ver - wan-delt, ver - wan-delt wer - den.
lich, und wir werden ver - wan-delt, ver - wan - delt wer - den.
lich, und wir werden ver - wan-delt, ver - wan-delt wer - den.
f
sf
con 8va ad lib.
105
Bariton Solo
Dann, dann wird er - fül -
sf
con 8va ad lib.
con 8va ad lib.
fpp
p Str.
Pk.
113
- let wer - - den das Wort, das ge - schrie - ben
Bläs.
pp
Str.
Bl.
pp
122
steht: [⊕]
Str.
cresc.
f V. Orch.
sf
sf

127
Der Tod ist ver-schlun - gen in den
131
Sieg, der Tod ist ver-
135
schlun - gen in den Sieg,

139
— in den Sieg, in den
— in den Sieg, in den
— in den Sieg, in den
— in den Sieg, in den
143
Sieg, ist ver - schlun-gen, ver -
Sieg, ist ver - schlun-gen, ver -
Sieg, ist ver - schlun-gen, ver -
Sieg, ist ver - schlun-gen, ver -
147
E
schlun - gen in den Sieg. Tod,
schlun-gen, ver - schlun-gen in den Sieg. Tod,
schlun - gen in den Sieg. Tod,
schlun-gen, ver - schlun-gen in den Sieg. Tod,
E
sf
sf
sf
col 8va ad lib.

153
wo ist dein Sta - chel! Tod, Tod, wo ist dein
sf
158
c. 8
Sta - chel! Höl - le, wo ist dein Sieg, ist dein
Sta - chel! Höl - le, wo ist dein Sieg,
ff
Str.
163
Sieg, ist dein Sieg, Höl - le, wo ist dein Sieg!
ist dein Sieg, Höl - le, wo ist dein Sieg!

168
Höl - le, wo ist dein Sieg, ist dein
Höl - le, wo ist dein Sieg, ist dein
Höl - le, wo ist dein Sieg, ist dein Sieg,
Höl - le, wo ist dein Sieg, ist dein Sieg,
Bläs.
ff
Str.
col 8va ad lib.
174
Sieg, Höl - le, wo ist dein Sieg!
F ff
Tod,
Sieg, Höl - le, wo ist dein Sieg!
ff
Tod,
Höl - le, Höl - le, wo ist dein Sieg!
ff
Tod,
Höl - le, Höl - le, wo ist dein Sieg!
ff
Tod,
F
ff V. Orch.
c. 8
180
wo ist dein Sta - chel! Höl -
wo ist dein Sta - chel! Höl -
wo ist dein Sta - chel! Höl -
wo ist dein Sta - chel! Höl -
ff
col 8va ad lib.

186
le, wo, wo ist dein Sieg! wo,
le, Höl - le, wo ist dein Sieg! wo,
le, Höl - le, wo ist dein Sieg! wo,
le, Höl - le, wo ist dein Sieg! wo,
Str.
Bläs.
ff
ff V. Orch.
col 8va ad lib.
193
wo, wo,
wo, wo,
wo, wo, wo,
wo, wo,
ff
200
wo ist dein Sieg!
wo ist dein Sieg!
wo ist dein Sieg!
wo ist dein Sieg!

208 Allegro
Herr, du bist wür - dig zu neh-men Preis und Eh - re und
Allegro.
Klar.
Viol.
212
Herr, du bist wür - - dig zu neh-men Preis und Eh - re und
Kraft, denn du hast al - le Din - ge er - schaf - - -
Hob.
Viol.
Brt.
216
Kraft, denn du hast al - le Din - ge er - schaf - - -
fen, und durch dei - nen Wil-len ha - ben sie das We - sen und sind ge-schaf -
Herr, du bist wür - - dig zu neh-men Preis und Eh - re und
Viol.II.
Fag.
Vcll. u.K.B.

74
220
fen, und durch dei - nen Wil-len ha - ben sie das We - sen und
fen, und sind ge-schaf - fen, ge - schaf - - fen,
f Herr, du bist wür - - - dig zu neh - men Preis und
Kraft, denn du hast al - le Din - - ge er -
f Viol. I.
223
G
sind ge-schaf - - fen,
f Herr, du bist wür - - - dig zu
Eh - - re und Kraft,
schaf - - - - - fen, und durch dei - nen Wil - - len ha - ben
Vl.
G
f (mit Hörn. Trp. u. Pk.)
Bässe
226
Herr, du bist wür - - - dig zu neh - men Preis und
neh - men Preis und Eh - - - re und Kraft,
und durch dei - nen Wil - - len ha - ben sie das We - -
sie das We - - - sen, Herr, du bist
Edition Peters
10115

229
Eh - - - re und Kraft, Herr, du bist
Herr, du bist wür - - dig zu neh - men Preis,
- sen, Herr, du bist wür - - - dig zu
wür - - dig zu neh - men Preis und Eh - re, und
232
H
wür - - - - - dig zu neh-men Preis und Eh - - - re,
Preis und Eh - re, zu neh-men Preis und Eh - - - re,
neh - - - - men Preis und Eh - re und Kraft, denn
Eh - re, und Eh - - - re und Kraft, denn
Bläs.
V. Orch.
Fag. u.
235
und durch
du hast al - - - - le Din - ge er - schaf - fen,
du hast al - le Din - ge er - schaf - fen,
Hörn.
Viol. II.
Brt.

239
und sind ge-
dei-nen Wil-len ha-ben sie das We-sen,
Viol. I.
Vcll.
243
schaf-fen, Herr, du bist wür-dig zu
und sind ge-schaf-fen, denn du hast al-le
und sind ge-schaf-fen, durch dei-nen Wil-len ha-ben sie das
und sind ge-schaf-
Brt.
Viol. I. u. Hob.
m.K. B.
246
neh-men Preis und Eh-re und Kraft,
Din-ge er-schaf-fen, Herr, du bist wür-dig zu
We-sen und sind ge-schaf-fen, zu
fen, Herr, du bist wür-dig zu
I

250
f
zu neh-men Preis und Eh-re, Preis und Eh-re, Preis und Eh - re und
neh-men, zu neh-men Preis und Eh-re, Preis und Eh-re, Preis und Eh - re und
neh-men, zu neh-men Preis und Eh-re, Preis und Eh-re, Preis und Eh - re,
neh-men, zu neh-men Preis und Eh-re, Preis und Eh-re, Preis und Eh - re, und
V. Orch.
f
255
Kraft, und Kraft, zu neh-men Preis und Eh - - re und
Kraft, und Kraft, zu neh-men Preis und Eh - - re und
Eh - re und Kraft, zu neh-men Preis und Eh - - re und
Eh - re und Kraft, Herr, du bist wür - - dig zu
Viol.
Holzbl.
Pos.
259
Kraft, zu neh-men Preis und Eh-re, zu
Kraft, zu neh-men Preis und Eh-re, zu
Kraft, zu neh-men Preis und Eh-re, zu
neh-men Preis und Eh-re, zu neh-men Preis und Eh-re, zu
Str.

263
K
nehmen Preis und Ehre und Kraft, und Kraft, zu
nehmen Preis und Ehre und Kraft, und Kraft,
nehmen Preis und Ehre, und Ehre und Kraft,
nehmen Preis und Ehre, und Ehre und Kraft, zu nehmen Preis und
fp Bläs.
Fl.
Str.
268
nehmen Preis und Ehre, Herr, du bist
zu nehmen Preis und Ehre und Kraft,
zu nehmen Preis und Ehre, durch deinen Willen
Ehre,
cresc.
Str.
Fl.
Hob.
Viol.
Fag.
Bässe.
272
würdig zu nehmen Preis und Ehre und Kraft,
Herr, du bist würdig zu nehmen Preis und Ehre und Kraft,
haben sie das Wesen, Herr, du bist würdig zu
Herr, du bist würdig, Herr, du bist
Hr.
Pos.

276
zu neh - men Preis und Eh - re, zu
zu neh - men Preis und Eh - re, zu
neh - men Preis und Eh - re, zu neh - men Preis und Eh - re, zu
wür - dig zu neh - men Preis und Eh - re, zu neh - men Preis und
Holzbl.
sf
280
neh - men Preis, zu neh - men Preis und Eh - - - -
neh - men Preis, zu neh - men Preis und Eh - - - -
neh - men Preis, zu neh - men Preis und Eh - - - -
Eh - re, zu neh - men Preis und Eh - - - -
f marc.
Bässe
Pos.
u.Tuba
284
- - - - - - re, zu neh - men Preis und
- - - - re, zu neh - men Preis, zu neh - men Preis und
re, zu neh - men Preis, zu neh - men Preis und
re, zu neh - men Preis, zu neh - men Preis und
f

288
L
ff
Eh - re und Kraft,
Eh - re und Kraft,
p espress.
Eh - re und Kraft, denn du hast al - le
Eh - re und Kraft,
8
ff V. Orch.
Brt.
p
Hörn.
Vcll.
293
p
denn du hast al - le Din - ge er -
p
denn du hast al - le Din - ge er - schaf -
Din - ge er - schaf - fen, al - le Din - ge er - schaf - fen,
Viol.
p
298
cresc.
schaf - fen, und durch dei - nen Wil - len ha - ben sie das We - sen
cresc.
fen, und durch dei - nen Wil - len ha - ben sie das We - sen
cresc.
und durch dei - nen Wil - len ha - ben sie das We - sen, das We - sen
cresc.

303
und sind ge-schaf-fen, Herr, du bist
und sind ge-schaf-fen, Herr, du bist wür-dig zu
und sind ge-schaf-fen, Herr, du bist wür-dig zu neh-men Preis und
Herr, du bist wür-dig zu neh-men Preis und Eh-re,
Str. u. Holzbl.
marc.
308
wür-dig zu neh-men Preis und Eh-re,
neh-men, zu neh-men Preis und Eh-re, zu
Eh-re und Kraft, zu neh-men
Eh-re und Kraft, zu neh-men Preis,
312
zu neh-men Preis und Eh-re und Kraft,
p espress.
neh-men Preis, Preis und Eh-re und Kraft, denn
Preis, Preis, Preis und Eh-re und Kraft,
zu neh-men Preis und Eh-re und Kraft,
M
Brt.
V.Orch.

317
p
denn
du hast al - le Din - ge, al - le
p espress.
denn du hast al - le,
p
denn
Viol.
321
du hast al - le Din - ge er - schaf - fen,
cresc.
und durch dei - nen
Din - - ge er - - schaf - - - fen, und durch dei - - nen
al - le Din - ge er - schaf - fen,
cresc.
und durch dei - nen Wil - len
du hast al - le Din - ge er - schaf - fen, und durch
326
Wil - len ha - ben sie das We - - sen
f
und sind ge - schaf - fen.
N
Wil - len ha - ben sie das We - - sen und sind ge - schaf - fen.
ha - ben sie das We - sen, das We - - sen und sind ge - schaf - fen.
dei - nen Wil - len ha - ben sie das We - sen,
f
Herr, du bist
Vcll.

331
Herr, du bist wür - dig, Herr, du bist wür - dig, Herr,
Herr, du bist wür - dig, Herr, du bist wür - - dig, Herr, du bist
Herr, du bist wür - dig zu neh - men, Herr, du bist wür - dig, Herr, du bist
wür - dig, Herr, du bist wür - dig, Herr, du bist wür - dig,
Holzbl.
mf
337
du bist wür - - dig zu neh - men Preis und Eh - - - re und
wür - dig, bist wür - dig zu neh - men Preis und Eh - - - re und
wür - dig, wür - dig zu neh - men Preis und Eh - - - re und
Herr, du bist wür - dig zu neh - men Preis und Eh - - - re und
pp Pos.
343
Kraft, zu neh - men Preis und Eh - - - re und Kraft.
Kraft, zu neh - men Preis und Eh - - - re und Kraft.
Kraft, zu neh - men Preis und Eh - - - re und Kraft.
Kraft, zu neh - men Preis und Eh - - - re und Kraft.
Pk.

VII

Feierlich
Sopran
Alt.
Tenor.
Baß.
Chor.
Se - - - - - - lig sind die To - -
Feierlich
Viol. u. Brt.
Vcll.
5
ten, die in dem Her-ren ster - - - ben, von nun
Fl.
Hörn.
Str.
9
an, von nun an,
Se - - - - - - lig sind die To - -
Holzbl.
Str.

13
ten, die in dem Her - ren ster - - - - - ben, von nun
Holzbl.
Str.
17
A
se - lig sind die To - - ten, se - - - lig,
Se - lig, se - lig sind die To - - ten, se - - lig,
Se - - - lig, se - - lig, se - lig sind die
an, von_nun an, se - - lig, se - - lig,__ se - lig sind die
Holzbl.
Str.
(m. Fag.)
21
se - - lig__ sind__ die__ To - - ten, die To - - ten, die__
se - - lig__ sind__ die__ To - - ten, die To - - ten, die__
To - - ten,__ sind__ die__ To - - ten, die To - - ten, die__
To - - ten, die To - - ten, se - - - lig, se - - - lig

25
dimin.
in dem Her - - ren ster - - ben, die in dem Her - ren
in dem Her - ren ster - ben, in dem Her - ren
in dem Her - ren ster - ben, in dem Her - ren
sind die To - ten, die in dem Her - - ren
30
p
ster - - - - - ben von nun an.
Holzbl.
mf
35
Viol.
Holzbl.
p

40
B
Ja, der Geist spricht,
Ja, der Geist spricht, daß sie ru - - hen von ih-rer Ar - -
Ja, der Geist spricht, daß sie ru - - hen von ih-rer Ar - -
Hörn. u.Pos. pp
Hob.
m.Fag.
48
espress.
Daß sie
daß sie
beit, daß sie ru - - - - - -
beit, daß sie
Fl.
Str.
51
ru - - hen von ih - rer Ar - - - - beit, denn ih -
ru - - hen von ih - - rer Ar - - - beit, denn
hen von ih - - rer Ar - - beit, denn ih-re
ru - - - - hen von ih - rer Ar - - - beit, denn ih-re

careful goes flat
55
mf
pespress.
-re Wer - ke fol - gen ih-nen nach; daß sie
ih-re Wer - ke fol-gen ih - nen nach;
Wer - ke fol - gen ih - nen nach;
Wer - ke fol - gen ih - nen nach;
Fl. espress.
Hob.
pespress.
Str.
60
ru - hen von ih - rer Ar - beit, denn
daß sie ru - hen von ih - rer Ar - beit, denn
daß sie ru - hen von ih - rer Ar - beit, denn
daß sie ru - hen von ih - rer Ar - beit, denn
Viol.
64
dolce
ih - re Wer - ke fol - gen
ih - re Wer - ke fol - gen,
ih - re Wer - ke fol - gen,
ih - re Wer - ke fol - gen
pp

68
ih - - - - - nen nach,
fol - gen ih - - nen nach,
fol - gen ih - - nen nach,
ih - - - - nen nach,
Fl.
Hob.
mf
dimin.
72
fol - - - - gen ih - - - nen nach.
fol - gen ih - - nen nach.
fol - gen ih - - nen nach.
fol - - gen ih - - nen nach.
C
p dolce
Ja, der Geist
Str.
pp
Brt.
Vcll.
K.B.
Hörn.
Pos.
78
p dolce
daß sie ru - - hen,
daß
spricht, daß sie ru - - hen,
p dolce
daß sie ru - - hen,
pp
spricht, ja, der Geist spricht,
Hob.
Fl.
espress.
Kl.
Pos u. Hörn.
Hr.
Klar.

84
sie ru - - hen, daß sie ru - - - - -
daß sie ru - - hen, daß sie ru - - - - -
p espress.
daß sie
daß sie
Hob.
Fl.
Viol.
pp
Hr.
Vcll.
89
hen von ih - rer Ar - - - - beit; denn ih -
hen von ih - - rer Ar - - beit; denn
ru - - hen von ih - rer Ar - - - - - beit; denn ih-re
ru - - hen von ih - - rer Ar - - beit; denn ih-re
93
- re Wer - ke, ih - - re Wer - ke fol - - gen, fol - gen
ih-re Wer - ke, denn ih-re Wer - ke fol - - gen, fol - gen
Wer - - ke, denn ih-re Wer - - ke fol - - gen, fol - gen
Wer - - ke, denn ih-re Wer - - ke fol - - gen, fol - gen
dolce
Fl. u. Hob.
Str.

99
ih - nen nach.
ih - nen nach.
ih - nen nach.
ih - nen nach.
Se - - - -
Viol.
cresc.
Fl.
Hob.
Hr.
Vcll.
Viol.
Brt.
104
- - - lig sind die To - - ten, die in dem Her - ren ster - -
Hörn.
Str.
108
Se - lig, se - lig
Se - lig, se - lig
- - - ben von nun an, von nun an, se - - lig
Se - - - lig,
Holzbl.

112
sind die To - ten, se - lig, se - lig sind die To -
sind die To - ten, die in dem Her - ren
sind die To - ten, die in dem Her - ren ster -
se - lig, se - lig sind die To - ten,
Viol.
Fag.
(m.Holzbl.)
Str.
116
- ten, die To - ten, die in dem Her - ren
ster - ben, die To - ten, die in dem Her - ren
- ben, die To - ten, die in dem Her - ren
se - lig sind die To - ten, die in dem
Viol.
120
ster - ben, die in dem Her - ren ster - ben von
ster - ben, die in dem Her - ren ster - ben von
ster - ben, die in dem Her - ren ster - ben von
Her - ren, in dem Her - ren ster - ben von
dimin.
p

125
D
nun an.
nun an.
nun an.
nun an.
Holzbl.
Viol.
mf
Vcll.
Fag.
130
cresc.
Se - lig sind die To - - - ten,
Se - - lig sind die To - - ten, se - lig sind die
Se - lig sind die To - - ten,
Se - lig sind die To - - - - ten,
p
Fl. u. Hob.
espress.
fp
Hr.
134
To - - - ten,
die in dem Herrn ster - - ben, se - - - lig
se - lig sind,
se - lig sind die
se - lig sind die
Kl.
Hob.
Fl.
pp
Str.

139
cresc.
f
se - lig sind die To - - ten, die To - ten,
To - - - - - - ten, se - lig sind die To - ten,
se - lig sind die To - ten, die To - - - - - - - ten,
To - ten, sind die To - ten, sind die To - ten,
Str.
Pos.
fp
142
p
pp
se - lig sind, se - lig sind,
se - lig sind, se - lig sind se - lig
se - lig sind, se - lig sind
se - lig sind,
Fl.
Viol.
Fl. u. Hob.
Str.
p espress.
Hr.
148
p cresc.
sind die To - - ten, se-
die in dem Herrn ster - ben, se - - lig
se - - lig sind,
Kl.
Fag.

154
p cresc.
se - lig sind die To - ten, die in dem Her - - - - -
cresc.
f
- - lig sind, se - lig sind die
cresc.
sind, se - - lig sind die To - ten, die in dem
cresc.
sind die To - ten,
Fl. u. Hob.
8
Str.
cresc.
Hr.
Vcll.
Harfe
159
p
- - - ren, dem Her - ren ster - - - ben, se - - lig,
pp
To - - - ten, die in dem Her - ren ster - ben, se - - lig,
Her - - - ren, dem Her - ren ster - - - ben, se -
die in dem Her - ren ster - - - ben, se -
(Str. pizz.)
Harfe
163
se - - - - - - - lig.
se - - - - - - lig.
- lig, se - - - - - - - - - - - lig.
- lig, se - - - - - - - - - - - lig.
Bläs.

A GERMAN REQUIEM

I. CHORUS

Blessed are they that mourn, for they shall have comfort.
They that sow in tears shall reap in joy.
Who goeth forth and weepeth, and beareth precious seed, shall doubtless return with rejoicing, and bring his sheaves with him.

(St. Matt. 5, 4)

II. CHORUS

Behold, all flesh is as the grass, and all the goodliness of man is as the flower of grass; for lo, the grass with'reth, and the flower thereof decayeth.
Now, therefore, be patient, O my brethren, unto the coming of Christ.
See how the husbandman waiteth for the precious fruit of the earth, and hath long patience for it, until he receive the early rain and the latter rain.
So be ye patient.
Albeit the Lord's word endureth for evermore.
The redeemed of the Lord shall return again, and come rejoicing unto Zion; gladness, joy everlasting, joy upon their heads shall be; joy and gladness, these shall be their portion, and sighing shall flee from them.

(St. Pet. 1, 24)

III. CHORUS WITH SOLO BARYTON

Lord, make me to know the measure of my days on earth, to consider my frailty that I must perish.
Surely, all my days here are as an handbreadth to Thee, and my lifetime is as naught to Thee.
Verily, mankind walketh in a vain show, and their best state is vanity.
Man passeth away like a shadow, he is disquieted in vain, he heapeth up riches, and cannot tell who shall gather them.
Now, Lord, O, what do I wait for?
My hope is in Thee.
But the righteous souls are in the hand of God, nor pain, nor grief shall nigh them come.

(Psalm 39, 5)

IV. CHORUS

How lovely is Thy dwelling place, O Lord of Hosts!
For my soul, it longeth, yea fainteth for the courts of the Lord; my soul and body crieth out, yea, for the living God.
O blest are they that dwell within Thy house; they praise Thy name evermore!

(Psalm 84, 2 f)

V. CHORUS WITH SOLO SOPRANO

Ye now are sorrowful, howbeit ye shall again behold me, and your heart shall be joyful, and your joy no man taketh from you.
Yea, I will comfort you, as one whom his own mother comforteth.
Look upon me; ye know that for a little time labor and sorrow were mine, but at the last I have found comfort.

(St. Jn. 16, 22)

VI. CHORUS WITH SOLO BARYTON

Here on earth have we no continuing place, howbeit, we seek one to come.
Lo, I unfold unto you a mystery.
We shall not all sleep when He cometh, but we shall all be changed in a moment, in a twinkling of an eye, at the sound of the trumpet.
For the trumpet shall sound, and the dead shall be raised incorruptible, and all we shall be changed.
Then, what of old was written, the same shall be brought to pass.
For death shall be swallowed in victory!
Death, O where is thy sting?
Grave, where is thy triumph?
Worthy art Thou to be praised, Lord of honor and might, for thou hast earth and heaven created, and for Thy good pleasure all things have their being, and were created.

(Heb. 13, 14)

VII. CHORUS

Blessed are the dead which die in the Lord from henceforth.
Sayeth the spirit, that they rest from their labors, and that their works follow after them.

(Apocalypse 14, 13)